NUNCA HAGAS NADA, NUNCA

QUERIDO DIARIO TONTO:

NUNCA HAGAS NADA, NUNCA

POR JAMIE KELLY

SCHOLASTIC INC.

New York   Toronto   London   Auckland   Sydney
Mexico City   New Delhi   Hong Kong   Buenos Aires

Originally published in English as *Dear Dumb Diary, Never Do Anything, Ever*

Translated by Aurora Hernandez

ISBN 13: 978-0-545-01250-8
ISBN 10: 0-545-01250-3

12 11 10 9 8 7 6 5 4   13 14 15/0

Printed in the U.S.A.

First Spanish printing, September 2007

A los maestros que tuvieron que aguantarnos y a los que nosotros aguantamos.

Muchas gracias a Mary K, que ayudó más de lo normal, y al equipo de Scholastic, por su belleza interior y exterior, aunque no vamos a entrar en detalles. Gracias a mi glamorosa editora, Maria Barbo, que fue la que eligió las palabras para describirse a sí misma, a nuestro fabuloso director de arte, Steve Scott, a nuestra editora de producción, Susan Jeffers Casel, a los magnánimos Shannon Penney y Craig Walker, que es el jefe de Maria y a quien, por lo tanto, debemos describir como más ingenioso y glamoroso que ella.

Este diario es propiedad de

Jamie Kelly

Escuela: Escuela Secundaria de Mackerel

Casillero: *101*

Educación Física: Sr. Dover

Mejor deporte: Salto de soga

Peor deporte: Lanzamiento de bebé

Belleza interna principal: Luego contesto esta

Momento más humillante: Necesitaríamos más papel

SOLO ALGUIEN
TOTALMENTE
ASQUEROSO LEERÍA
EL DIARIO DE
OTRA PERSONA

En serio,
si lees el diario de
otra persona, en lugar
de alma tienes un guiso
de atún

Querido Quiensea que esté leyendo mi Diario Tonto:

¿Estás seguro de que puedes leer el diario de otra persona? Si te di permiso, está bien. Pero si eres Angelina, yo **NO** te di permiso, así que tienes que dejar de leer **AHORA MISMO**.

Si son mis padres, entonces **SÍ**, ya sé que no puedo llamar a la gente idiota ni tontos ni marcianos ni resabiondos ni nada de eso, pero esto es un diario, y en realidad yo no los "llamé" nada. Yo lo escribí. Y si me castigan por eso, entonces sabré que han leído mi diario, para lo que no les di permiso.

Ahora, por los poderes que me han sido otorgados, prometo que todo lo que escribo en este diario es cierto, o por lo menos, hasta donde se puede.

Firmado, *Jamie Kelly*

P.D.: Angelina, si eres tú la que está leyendo mi diario, deberías saber que leer el diario de otra persona es un crimen federal y algo muy feo, y que no hay belleza interna ni externa suficiente para compensar algo así.

P.P.D.: Lo que quiere decir que tienes una gran probabilidad de ser la chica más horrorosa de la cárcel y si alguna vez has visto esos programas en la tele de policías, sabrás que casi todas las chicas así necesitan una **TRANSFORMACIÓN TOTAL** para tener el aspecto delicado de un jabalí.

Domingo 1

Querido Diario Tonto:

Isabella y yo vimos a Angelina en la tienda por casualidad. Isabella quería comprar crema para quitarse el pelo de los brazos porque es superpeluda. Intenté convencerla de que no lo hiciera, no porque sus brazos no sean peludos (son como los de un mono), sino porque se vería peor con brazos de bebé sin pelos.

¿Ves?

De mono.

Angelina rebuscaba entre los productos del cabello, obviamente en busca de los secretos que hacen que tenga el cabello perfecto.

Como recordarás, Diario Tonto, Isabella es una experta en camuflaje. Rápidamente, agarró unas gafas de sol y unos sombreros para poder espiar a Angelina y ver lo que compraba. (Nota sobre los camuflajes: mientras caminas, de vez en cuando tienes que bajar la revista tras la que te escondes para no tropezarte con un muestrario de biberones).

Pero Angelina no compró champú ni acondicionador ni colorante ni alisador de cabellos ni desalisador ni nada de eso. Solo compró una cosa pequeña y, sin darse cuenta, nos guió hasta ella. **UN GANCHO** para el pelo.

Debe de ser un gancho especial porque Angelina, como todo el mundo sabe, es tan bella que seguramente a veces le da asco verse en el espejo.

¡¡Pero ahora el secreto de su gancho es nuestro!!

¡Ja, ja, Angelina! A ver ahora qué haces cuando sepas que yo también poseo tu preciado secreto del gancho.

¡CUIDADO!

Habría comprado más de uno pero el tipo de la tienda quería que pagara las revistas que destrocé cuando me tropecé con los biberones.

Lunes 2

Querido Diario Tonto:

Está bien, estos ganchitos no son tan simples como parecían. Sí, claro, puedes poner el pelo hacia un lado y supongo que se ve bien, pero Angelina seguro que tiene una técnica especial para ponérselos en la cabeza porque yo fui incapaz de hacerlo igual.

Quise practicar con las orejas de Stinker un par de veces, pero Stinker es muy quisquilloso con sus orejas y le molesta que se las toquen, así que tuve que sentarme encima de él.

En cualquier caso, al final lo conseguí, y mañana voy a tener un éxito total.

Celoso, seguramente

Martes 3

Querido Diario Tonto:

¿Te acuerdas de Hudson Rivers (el octavo chico más lindo de mi curso)? Siento comunicarte que tiene un problema en la vista. No solo no se percató de la **espectacularidad** de mi **Nuevo Accesorio del Cabello** cuando me hablaba en los casilleros, sino que además, cuando Angelina pasó por allí y derrochó su **Belleza** sobre él, ni siquiera la vio. Ojalá hubiera disfrutado más de ese momento, pero me daba demasiada lástima la desgracia de Hudson porque, no nos engañemos, todo el mundo ve a Angelina.

Angelina derrochaba belleza al máximo

Primero, pensé que Hudson solo querría hablar conmigo y no le interesaba Angelina, ya que una vez me escribió un poema. Pero afortunadamente, Isabella estaba cerca y me explicó lo que pasaba. Dijo que las personas que no ven a Angelina sufren de algún mal como:

Problema de visión.
Relacionado con
tenedores

Solo les gusta
la gente
repugnante.

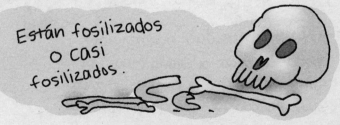

Están fosilizados
o casi
fosilizados.

Le dije a Isabella que si la tragedia de Hudson se limitaba a su vista, debería usar lentes, e Isabella me soltó una disertación sobre cómo los lentes destrozan tu vida y cómo ella haría cualquier cosa para deshacerse de ellos.

Cuando Isabella dice que haría cualquier cosa, hay que creerle. Una vez, cuando tenía cinco años, atacó a un Santa Claus en un centro comercial porque no le había regalado un oso panda la Navidad anterior. Fue espantoso. Cuando llegó la ambulancia, Santa Claus había perdido mucho relleno y temblaba como un flan.

Cuando le das respiración boca-a-boca a Santa Claus, tienes que mantener una ramita de acebo sobre la cabeza todo el tiempo.

Los martes y jueves tengo educación física. Afortunadamente, es al final del día y no tengo que pasar el día apestando. Además, puedo ver cuando llegan los autobuses, lo que es una manera práctica de saber la hora, porque el único reloj del gimnasio, como casi todos los relojes de gimnasio, lo rompieron de un pelotazo en 1945.

Como siempre, en educación física nos hicieron correr, lo que me hizo sentir como si estuviera a punto de tener un bebé por mi lado izquierdo.

Le dije calmadamente al Sr. Dover que por qué no hacíamos otro tipo de ejercicio mientras, desde el piso, me masajeaba el calambre que me dio dentro del calambre del calambre que tenía en la pierna.

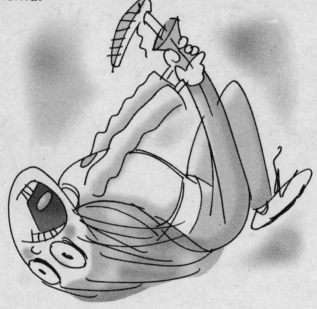

Me miró durante un minuto y creo que sintió lástima por mí. O asco. En cualquier caso, dijo que lo pensaría.

Seguro que se le ocurrirá algo fantástico.

Miércoles 4

Querido Diario Tonto:

Hoy, mamá me hizo tirar la ropa que ya no necesito. Se la va a dar a personas pobres o algo así. Hace mucho que no hago limpieza en mi habitación. Estas son algunas de las cosas de las que me voy a deshacer:

Cadena de papel de chicle que iba a medir **30** metros.

Bola mágica que siempre da la respuesta equivocada.

Caja de Barbies con transformaciones fallidas.

Mi ropa vieja me hizo pensar en cuando era más pequeña y me pregunté por qué en ese entonces quería ser mayor. Entonces vi una camiseta que me ponía antes y que tiene un pato estúpido con un sombrero de vaquero. Lo más impresionante de la camiseta es una mancha enorme de chocolate en la parte delantera. Me pregunté cuántas veces me había vestido así mamá con aquella mancha de chocolate y había dejado que me vieran en público.

Si mis futuros hijos leen este diario dentro de muchos años, quiero que sepan esto: si alguna vez se manchan de chocolate, no se lo digan a su abuela. Dejará que la mancha se pudra hasta que salga moho. Díganselo a Mamá Jamie, que ella, con mucho cariño, hará que papá lo lave.

Y ya que estoy hablándole al futuro, aquí va una nota para mí misma, por si acaso leo esto dentro de muchos años cuando mi mamá sea supervieja:

Querida Jamie de Mayor:

Tu mamá te quiere e hizo lo mejor que pudo para criarte, pero no importa porque ahora te ves divina y eres muy rica. Ella cometió algunos errores, pero debería sentirse bien por eso porque así solo tienes que vengarte de unas pocas cosas. Aquí van algunas ideas para que empieces con tu venganza:

13

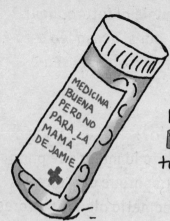

No la dejes tomar la **MEDICINA SUPERBUENA PARA VIEJOS** aunque todos sus amigos la tomen.

Vende sus cosas asquerosas de señorona y exponlas en el jardín para que todos las vean

15¢

35¢
trasto médico

50¢

14

Jueves 5

Querido Diario Tonto:

Ya sabes lo que pasa los jueves, ¿verdad, Diario Tonto? Es el día del Pastel de Carne en la escuela. (¿Lo había comentado antes?) El pastel de hoy sabía a **aliento-matutino-con-forma-de-pastel,** lo que quiere decir que ha mejorado si se compara con el de la semana pasada.

Por la tarde, el profesor de educación física, el Sr. Dover, nos dijo que iba a seguir mi sugerencia de hacer ejercicios nuevos y que durante un mes íbamos a empezar un programa llamado **No Sé Qué Aventuras de Apoyo.** Se supone que es para fomentar el trabajo en equipo, que es cuando un montón de gente se une para hacer algo mal, en lugar de hacerlo mal de uno en uno.

trabajo en equipo

Así que Dover nos dividió en grupos de cuatro. Por supuesto, Angelina y Hudson acabaron en el mismo grupo porque Angelina tiene algún tipo de Poder Maligno sobre el universo. Margaret también estaba en el grupo de Angelina. (Margaret es la comedora de lápices de la escuela). Afortunadamente, el Sr. Dover también puso a Isabella en ese grupo, así por lo menos yo tenía a alguien que espiara a Angelina y Hudson.

En mi grupo estábamos yo, Mike Pinsetti (el rey de los apodos de nuestra escuela, creo que yo le gusto, PUAJ, parece un saco enorme de chorizos), Anika Martin y Ese Chico Espantoso Cuyo Nombre No Recuerdo, al que llamaré E.C.E.C.N.N.R. para abreviar.

PINSETTI   YO   ECECNNR   ANIKA

ESTÁ BIEN, NO SOMOS PRECISAMENTE LOS CUATRO FANTÁSTICOS

Nuestro primer ejercicio se llamaba Caídas en Confianza. Consiste en que uno del grupo cierra los ojos y se tira para atrás, confiando en que sus compañeros lo agarren antes de que choque contra el piso.

Isabella tiene hermanos mayores malvados, así que su capacidad de confiar en los seres humanos se reduce a nada. Para Isabella, el tirarse hacia atrás y confiar en que alguien la sujete es como lanzarse a un triturador de madera.

HASTA
AHÍ
LLEGA

Esto hizo que se metiera en líos con el Sr. Dover porque los profesores de educación física se molestan si no actúas de lo más deportivo chocando los cinco y esas cosas. Esto me vino muy bien, porque así a mí no me pasó nada cuando Pinsetti se abrió la cabeza contra el piso del gimnasio porque yo, por mirar a Angelina y a Hudson, dejé que Pinsetti y su confiada cabeza acabaran en el suelo. Pero en mi favor debo decir que Pinsetti y su cabeza son demasiado confiados.

El caso es que el Sr. Dover cambió a Isabella por Anika y ahora no tengo a nadie que pueda escuchar lo que le dice Angelina a Hudson, cuya visión parece haberse restablecido completamente en lo que se refiere a observar a Angelina.

Por supuesto, Angelina llevaba su ganchito perfectamente colocado en un mechón de su sedoso y maravilloso cabello rubio, y a lo mejor Hudson estaba maravillado con eso.

Ceguera inevitable de ganchito

Viernes 6

Querido Diario Tonto:

Esta semana, Angelina va a hacer una especie de Andatrón como obra de caridad y nos ha pedido a Isabella y a mí que seamos sus patrocinadoras.

Tenemos que donar diez centavos por cada milla que camine. Ya sé, suena muy bien, pero Angelina no camina siempre en línea recta. Eventualmente, se da la vuelta y regresa. Si caminara siempre hacia adelante, le daría cien dólares. Pero dijo que era para una causa increíble, como mandar animales de peluche llenos de caramelos a bebés hambrientos en **Quiensabedonde.**

No sé. El caso es que le dijimos que sí.

de Angelina

U.S.A.

pura
bondad
y sensibilidad

Después, mientras considerábamos lo sacrificada que era Angelina y lo dispuesta que estaba a ofrecer su tiempo y esfuerzo por gente que no conoce y que vive a millones de kilómetros de distancia, tuvimos que reconocer que...

Angelina es supertonta.

Sábado 7

Querido Diario Tonto:

Hoy papá me dejó en el salón de belleza. Se supone que es uno de los mejores salones de belleza de la ciudad, y la estilista, Collette, es de verdad de Francia o de algún sitio donde tienen la mejor universidad del cabello del mundo. Collette suele llorar cuando termina conmigo y muchas veces me pide que salga por la puerta de atrás, pero creo que sigue atendiéndome porque en la universidad le hicieron tomar no sé qué juramento de cabello. Es igual que los médicos, que no pueden pasar por encima de ti si tienes un accidente. Y seamos sinceros, mi cabello se está desangrando en la acera.

En realidad no necesitaba un corte de pelo, pero le pedí que me pusiera el ganchito. Tardó mucho con eso y no consiguió hacerlo bien. Dijo que mi cabello rechazaba el ganchito como si se tratara de un transplante de órganos, pero que si quería podía llamar a una **Asesora en Ganchitos** que conoce para que la ayudara.

Yo estaba emocionada con la idea de que el trabajo de alguien fuera ser **ASESORA DE GANCHITOS,** puesto que conocería técnicas de las que Angelina no había oído hablar.

Cuando Collette regresó, dijo que no pudo localizar a la consultora. La mamá de la consultora dijo que la consultora estaba intentando conseguir patrocinadores para su Andatrón del día siguiente, pero que la llamara en un rato si quería.

Eso quiere decir que la misteriosa consultora solo podía ser una persona... Pero yo no le iba a dar a Angelina esa satisfacción.

seguramente algún tipo de ganchito atómico experimental

Le dije a Collette que acababa de recordar que en la escuela había una norma que prohibía los ganchitos porque, hace un mes, una pobre niña estaba asintiendo inocentemente cuando su ganchito salió volando de su cabeza, aterrizó al otro lado del salón y se cerró en la yugular de una chica rubia espantosa, la cual se desmayó. Desde entonces, los ganchitos son ilegales, y la escuela también está considerando limitar el uso de las horquillas.

Ya sé, ya sé. Fue una mentira muy tonta. Pero yo no tengo la capacidad de engaño ni estoy tan en contacto con mi **Demonio Interno** como Isabella, lo que para ella debe de ser una gran decepción.

Ay, Isabella, intentaré ser peor, de veras

Está bien, a lo mejor no está tan preocupada

Domingo 8

Querido Diario Tonto:

He descubierto el último plan siniestro de mamá. No estaba donando mi ropa. Estaba planeando venderla. Cuando me desperté esta mañana, mamá había puesto montañas de basura en la rampa del garaje.

¿Has visto alguna vez a una mamá preparar una venta de garaje? ¿Has visto cómo enloquecen al pensar si deben vender la tapa de una olla por uno o dos centavos?

¡Mamá! ¡Por favor! Pide tres centavos y así nos podremos comprar ese yate que siempre hemos querido tener.

¿No es mejor que la gente sospeche que tienes basura que sacarla a la calle para que todos la vean?

NUESTRAS PORQUERÍAS

☆ MARAVILLAS QUE ☆ CONSIGUES EN ESTE TIPO DE VENTAS

zapatos gastados

Caja grande de zapatos viejos para complementar tus modelitos de vagabundo

puerta de lavadora económica

SR. PINCHOS

Juguetes viejos que ya no son legales

En nuestra venta de garaje me llevé una sorpresa más grande y horrible todavía: un montón de gente empezó a pasar por delante de nuestra casa. Cuando me acerqué a ver qué pasaba, me di cuenta de que se trataba del estúpido Andatrón. Incluso vi a Angelina y otros chicos y padres de la escuela pasar por delante de nuestra casa. Seguro que ella eligió esa ruta. Me torturaba tanto la idea de que fueran a ver nuestros cacharros viejos que me encerré en mi habitación y decidí no volver a salir en todo lo que me quedaba de vida.

NUESTRAS PORQUERÍAS

Si alguna vez decides no hacer algo en todo lo que te queda de vida, descubrirás que es muy difícil cumplirlo. Y a la hora de la cena, ya estaba lista para abandonar mi resolución ante el aroma de la pizza que venía del piso de abajo.

Y no lo vas a creer: ¡mamá me dio 45 dólares que sacó con la venta de mis cosas! Por lo menos algo salió bien de la **VENTA PÚBLICA DE NUESTRA VERGÜENZA.** Supongo que tendré que reconocer que fue una buena idea que lo hiciera el mismo día del Andatrón. Y a lo mejor Angelina ni siquiera vio mis porquerías.

ESTÁ BIEN, LAS MAMÁS SON BUENAS PARA ALGUNAS COSAS COMO...

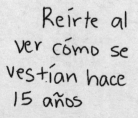

¡Darte dinero!

Verlas disfrutar de la limpieza

Reírte al ver cómo se vestían hace 15 años

Lunes 9

Querido Diario Tonto:

Angelina salió en el periódico de hoy, y en la escuela la vieron todos porque pusieron el artículo en la entrada. No solo salió estupenda sino que además la foto se la hicieron enfrente de mi casa, y se podía ver mi **Mancha de Chocolate** en el fondo.

Por suerte, nadie dijo nada. Es evidente que Angelina se olvidó de que yo vivía allí.

Isabella y yo le dimos a Angelina el dinero que le habíamos prometido el otro día. Angelina recorrió 10 millas, así que al final solo pagamos un dólar cada una. ¿Cuánto más podría haber ganado? ¿Cinco dólares? ¿Seis?

Angelina nos preguntó si queríamos apoyar su próxima obra de caridad, y nosotras contestamos que ya nos habíamos comprometido con otra obra.

Buena respuesta, ¿no? En realidad lo aprendí de mi papá, que se lo dice mil veces a la gente que nos llama para pedir donaciones. Tiene un montón de excusas para no soltar el dinero.

Unos chicos me acaban de robar

Mi cartera no abre. (No dejaré que intentes abrirla).

Solo tengo un billete de mil y voy a donárselo al orfanato.

Martes 10

Querido Diario Tonto:

Angelina está trabajando en otra obra de caridad. Esta vez va a donar ropa vieja a la gente necesitada. Les pidió una donación a Anika y a Hudson, y yo estaba a punto de comentar lo pesada que era, cuando Hudson dijo que era fantástico que Angelina trabajara tan duro para la gente necesitada. Y Anika dijo lo mismo, lo que hizo que Isabella asintiera involuntariamente porque eso es lo que hace su cabeza cuando varias personas están de acuerdo con algo. (Además, Angelina llevaba puesto su ganchito que seguramente debe de tener poderes).

Entonces, Angelina se dirigió a mí y dijo:

—Jamie, tú seguramente vendiste ya todas tus cosas el domingo pasado en la venta de garaje, así que no creo que tengas nada para donar.

"¡Demonios!", pensé. (En realidad pensé algo mucho peor, pero me metería en un lío tremendo si lo escribiera, así que lo vamos a dejar en Demonios).

"¡Demonios! Angelina sí sabía que era mi casa. ¡Pero no puede estar segura de que eran mis cosas!", pensé astutamente. Mejor digamos MUY astutamente.

Cerebro gigante de niña prodigio, Jamie Kelly

Solo tengo dos palabras para describir a las niñas genios de cerebro gigante: CABELLOS HORROSOS.

—No. No. Esa venta era de mi mamá. Ninguna de esas cosas eran mías. Yo siempre dono mis cosas viejas a la gente necesitada. Tengo una bolsa llena de ropa para ti. Así es. Un montonazo de ropa.

Una buena respuesta, ¿no? Solo que no tengo una bolsa llena de ropa. Ni siquiera una bolsa pequeña. Si no fuera por ese pequeño detalle, sería una buena respuesta.

Mi cuento tenía más agujeros que los calzoncillos más viejos de papá.

ES ILEGAL MOSTRAR CALZONCILLOS CON TANTOS AGUJEROS

Pero al ver esto entiendes que no es tan difícil creer en el hombre lobo, ¿verdad?

En la clase de educación física de hoy competimos entre los grupos en una carrera llamada **Perros de Trineo**. Una persona se sienta en el piso, encima de una toalla y se agarra a una escoba mientras que el resto del equipo la arrastra por el gimnasio. Se hacen turnos para sentarse en la toalla. Supongo que este ejercicio sirve para determinar a quién se le da bien poner excusas para no participar en la clase de educación física.

HUII

UFF UFF

GRRK

Perros de trineos reales totalmente avergonzados de nuestra conducta

El caso es que Angelina debe de estar muy
enojada con la cabeza de Pinsetti porque me volví a
distraer y accidentalmente le pegué con el palo de
la escoba justo al darme la vuelta para ver de qué
se reían la Rubia y Hudson.

Pinsetti estaba un poco aturdido y empezó a
hablar en egipcio o francés o algo así. Dover me dijo
que tuviera más cuidado, pero creo que Pinsetti
estaba fingiendo porque los palos de escoba se
rompen en las cabezas con más facilidad de lo que
piensas.

Creo que no ayudó nada que Isabella dijera
hasta el cansancio: "¡Otra vez! ¡Otra vez!".

Miércoles 11

Querido Diario Tonto:

Hoy en el almuerzo, Isabella dijo que había oído que Angelina había recaudado 300 dólares con su Andatrón. Pusieron un cartel en la oficina. No podía creer lo famosa que se había hecho. ¿Cuán famosa quiere ser? Si fuera yo, me conformaría con ser algo famosa y no tener que hacerme más famosa todo el tiempo.

Así de famosa querrá ser

Isabella se pasó todo el santo día hablando del dinero. Decía: "TRESCIENTOS dólares para una obra de caridad. Nadie sabe quién es esa gente y de repente les caen TRESCIENTOS del cielo".

Entonces le pegó un bocado a su perrito caliente, lo que me asustó un poco. No sé por qué, pero me dio la impresión de que se estaba imaginando que el perrito caliente era la raza humana.

Isabella vino a casa por la noche y trajo una película: **La Bella y la Bestia**. Por lo visto hay más de una versión de esta película, e Isabella no trajo la versión maravillosa de dibujos animados con la tetera que canta y el candelabro que baila. Trajo una versión antigua con gente que habla en francés y tenías que leer lo que decían en la parte inferior de la pantalla.

Esos letreros se llaman subtítulos, y los hacen para hacer que una película irritante sea más irritante todavía. Los subtítulos se quedaban en la pantalla demasiado rato, así que los leía una y otra vez, y daba la impresión de que los personajes se repetían más que mi abuela, aunque por lo menos no decían que cuando ellos eran pequeños se podían comprar un refresco por cinco centavos, lo que estaba bien, creo, porque seguro que cuando huyes de los dinosaurios te da mucha sed.

Hace 65 millones de años, cuando mi abuela tenía mi edad

El caso es que el mensaje de la película era el mismo: la **Verdadera Belleza** viene de dentro. Bla, bla, bla. Si esto fuera cierto, en lugar de trajes de baño y tacones de diez centímetros, ¿no harían que las concursantes de Miss América llevaran sus radiografías?

Jueves 12

Querido Diario Tonto:

Hoy tuvimos que hacer algo HORROROSO en educación física. ¡HORROROSO! No puedo creer que yo le sugiriera al Sr. Dover que cambiara su rutina. Si no lo hubiera hecho, seguramente ahora estaría disfrutando de mis calambres múltiples en lugar de trabajar en equipo.

Los calambres son como los amigos...

que no quieren que lo pases bien.

Este es el ejercicio que hicimos en educación física. Es tan importante que Dover dijo que contaba como la **mitad** de nuestra calificación. En cada grupo de cuatro, una persona se pone en un lado del gimnasio y las otras tres se ponen en fila enfrente de él o de ella. Con una **olla de sopa**, una **serpiente de plástico** y un **zapato de tacón**, tenemos que enviar un **muñeco** al otro lado del gimnasio hasta el cuarto miembro del grupo.

Tenemos que enviar el muñeco hasta el otro lado del gimnasio

A Isabella no se le da bien sujetar muñecos

Pero no podemos cruzar el gimnasio caminando. Y el muñeco no puede tocar el piso. Tenemos que imaginarnos que el piso está lleno de cocodrilos. Y no podemos lanzar el muñeco, porque se supone que es nuestro bebé querido, y si el cuarto miembro no lo atrapa, se espachurraría. Por lo demás, Dover dijo que todo valía.

Tenemos cuatro semanas para solucionar todo esto, pero si lo conseguimos antes y le probamos a Dover que lo podemos hacer, podemos sentarnos y ver cómo la gente trabaja.

La escuela me prepara para la vida REAL con bebés FALSOS y cocodrilos imaginarios

Así que Dover nos dividió en grupos. Dijo que él podía caminar por todo el gimnasio porque tenía no sé qué tipo de poder contra los cocodrilos. Luego les dio los muñecos a las personas que iban a estar en el lado izquierdo del gimnasio.

Angelina le echó un vistazo al muñeco y dijo:

—Sr. Dover, a este muñeco le pasa algo.

Dover fue hasta allí, miró al muñeco y dijo:

—Angelina, yo no le veo nada raro.

—¿Podría preguntarle a Hudson a ver qué piensa él? —dijo ella. Dover le dio el muñeco a Hudson que estaba en el otro lado del gimnasio.

Angelina sonrió, miró al Sr. Dover y dijo:

—Ya hemos terminado.

PURO ENGREIMIENTO

Hubo un momento de silencio hasta que nuestros cerebros normales e inocentes se percataron de lo que había hecho Angelina. Había hecho llegar el muñeco hasta el otro lado del gimnasio, siguiendo las reglas, y había conseguido en veinte segundos lo que el resto de nosotros tardaríamos semanas en conseguir. Además, había conseguido engañar a un profesor para lograrlo, delante de todo el mundo.

El aplauso fue ensordecedor. El Sr. Dover, como buen deportista, tuvo que aceptar la solución, pero puso una nueva regla: nadie más podía engañar a alguien para completar la misión.

ENGAÑÓ A DOVER

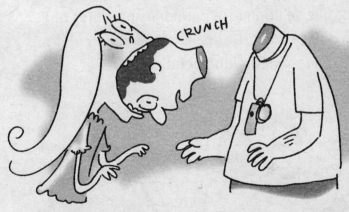

CRUNCH

Salvo haberle arrancado la cabeza, nada habría generado más respeto entre los chicos.

Yo me pasé el resto de la clase observando a Angelina, la malvada chica del ganchito, y a Hudson sentados en una esquina del gimnasio riéndose y hablando mientras que los de mi grupo nos rascábamos el trasero como monos tontos sin que se nos ocurriese nada.

Cuando terminó la clase y había que recoger, le lancé la olla a Pinsetti que, por lo visto, no estaba mirando (él tuvo la culpa, según Isabella), y accidentalmente le di en el mismo sitio donde lo había lastimado antes.

Empezó a gritarme, pero Isabella intercedió y dijo que si su cabeza era tan sensible a los golpes, a lo mejor debería llevar un casco cuando yo esté cerca. Es una suerte tener una amiga como Isabella, que se crió entre hermanos horribles que hicieron que se convirtiera en una persona cruel y agresiva. Es realmente una bendición.

Todo el mundo debería tener una amiga tan mala como Isabella

Ya sé. Ya sé. ¿Por qué no me asesinó Pinsetti? De hecho, una vez él se peleó con un chico y lo dejó tan hecho polvo que el médico le recetó al pobre chico comer sopa durante un mes.

Creo que es porque una vez le gusté y eso hizo que su ira no fuera tan grande.

Es un hecho científico que las **Enzimas del Romance** se quedan en tu organismo durante seis años. El amor es tan poderoso que lo único que dura más es un chicle que te hayas tragado.

CUANTO DURAN LAS COSAS

♥	Efectos post-enamoramiento	6 años
	chicle tragado.	7 años
	Humillación cuando tu papá cantó rap delante de tus amigos.	Toda la vida.

Viernes 13

Querido Diario Tonto:

Hoy Angelina vino a la hora del almuerzo y me preguntó por la bolsa de ropa sobre la que había mentido y en la que ella tan tontamente creyó. Pensé admitir que no tenía ropa para darle y que además no me importaba si la gente de Quiensabedonde quería mis cosas viejas. Pero entonces apareció Hudson con una bolsa de papel y se la dio.

—Tengo ropa para la gente necesitada —dijo—. Creo que lo que estás haciendo es genial.

Y me di cuenta de que ¡ANGELINA NO LLEVABA EL GANCHITO! Él la miraba de forma diferente a cuando solamente era linda. Hudson estaba impresionado por su generosidad. Hudson estaba viendo el interior de Angelina.

Ay, Dios mío. Es como **La Bella y la Bestia**. Solo que Angelina es una especie de Bestia que tiene Belleza Interior y Belleza Exterior, así que es **La Bella y la Bella**. No hay Bestia.

Angelina es como esos bombones que tienen chocolate por fuera y cuando los muerdes tienen chocolate por dentro incluso más rico que el de fuera. Y solo hay uno de esos en la caja. Y tú no tienes la culpa de haber nacido con uno de esos sabores de tofe y sirope para viejos.

Si crees que antes me volvía loca con las historias de Angelina, Querido Diario, eso no era nada. Angelina no solo tiene belleza exterior, sino que también tiene belleza INTERIOR, lo que quiere decir que es mucho mucho MUCHO MUCHO MUCHÍSIMO peor.

La belleza es superficial y se queda en la piel, pero el odio llega hasta los huesos.

El lindo capullo se rompe y la bella oruga sale convertida en una MARIPOSA MÁS BELLA TODAVÍA

¡ODIO LOS INSECTOS!

Así que le dije a Angelina que se me había olvidado la bolsa esa mañana porque estaba demasiado ocupada haciendo carteles para mi nuevo proyecto de caridad, **Saca a un Koala Hambriento a Almorzar.** Por supuesto, ella se interesó en mi proyecto, pero le dije que todavía estábamos ultimando los detalles, como el asegurarnos de que los restaurantes tuvieran suficientes sillitas especiales para los koalas.

Ya sé. Ya sé. Otra mentira ridícula. Pero eso fue lo único que se me ocurrió y ni siquiera miré a Isabella, que seguro estaba muy decepcionada con mi falta de picardía interior.

Sábado 14

Querido Diario Tonto:

Esta mañana registré toda la casa. NO tenemos ropa vieja. La brillante estrategia de la venta de mamá nos ha dejado limpios. Hasta los pantalones demasiado cortos de papá han desaparecido.

Admítelo, papá, te pasaste cortando.

Isabella no me quería dar su ropa vieja porque dijo que si su ropa acababa en algún país misterioso, podrían hacer vudú contra ella. No puedes discutir estas cosas con Isabella. Tiene ideas bastante concretas respecto al vudú, ya que lo ha intentado miles de veces. Pero se le ocurrió una idea, y hay que reconocer que Isabella siempre tiene grandes ideas.

Dijo que teníamos que hacer como si estuviéramos trabajando en el proyecto de caridad de Angelina. Iríamos a un par de casas para recolectar ropa vieja. Porque en realidad no sería mentira, ¿no? Estaríamos trabajando para su proyecto de caridad de cierta manera.

Isabella no usa alfileres porque dice que las grapas deben de doler más

La primera casa a la que fuimos fue a la de la Sra. Clawson, la anciana que vive en la casa de al lado. Le dijimos que si la gente necesitada, que si bla, bla, bla, y nos dio una bolsa enorme de ropa vieja, así que ¡lo habíamos conseguido con la primera casa! Solo que cuando volvimos a mi casa, vimos que la bolsa estaba llena de calzones gigantes de vieja que parecían paracaídas del ejército perforados por cañonazos.

Despavoridas y asqueadas

De **NINGUNA MANERA** iba a dejar que Angelina pensara que esas cosas eran mías, así que se las di a Stinker para que se los comiera o los enterrara o hiciera lo que hace él con esas cosas. Seguía enojado conmigo por haberme sentado encima de él, así que supuse que esto lo arreglaría.

Los Cutler viven justo enfrente, así que allí fuimos. Tienen dos hijas en la universidad, así que pensé que si tenían ropa para donar no me harían quedar demasiado mal.

Justo cuando la Sra. Cutler me estaba dando un par de cosas, Isabella añadió que estábamos recolectando dinero para la Federación Juvenil de Optometría, que proporciona lentes y cosas por el estilo a los niños pobres. Sorprendentemente, la Sra. Cutler le dio a Isabella cinco dólares para la causa.

¡Isabella está supercontenta! Debe de gustarle mucho hacer obras de caridad.

Isabella dijo que había conseguido información sobre esa obra de caridad en Internet y que si yo quería, la podía ayudar a recolectar dinero, así que a la vez que pedíamos ropa, también conseguimos algunos dólares para la Federación Juvenil de Optometría.

¡**Bravo**! Ahora ya tengo una obra de caridad a la que puedo apoyar. Para que te enteres, Angelina, ahora soy tan buena y dulce como tú, cerda. ¡Y además, ya casi tenemos 15 dólares!

¡Mira! Tengo tanta belleza interior como la RUBIA.

¡Seguro que los animales lo pueden sentir por arte de magia!

Domingo 15

Querido Diario Tonto:

¿Te acuerdas de que no sabía exactamente lo que Stinker haría con la bolsa llena de calzones de vieja? Pues mira, esta mañana me enteré de lo que tenía planeado hacer. Salió afuera y los REGÓ por todo el jardín de la Sra. Clawson, hasta que el césped estuvo repleto de hongos enormes y ondulantes.

Y por supuesto, mi primer impulso fue cerrar las cortinas y negarlo todo, pero si la Sra. Clawson miraba por la ventana y veía aquellas cosas ignominiosas, le daría un ataque al corazón. Lo único que podía hacer era salir al jardín antes de que alguien los viera y los recogiera.

No los toqué con las manos, por supuesto. Usé las pinzas de la barbacoa. Porque oye, calzones de vieja... ¡qué asco!

HERRAMIENTAS QUE PUEDES USAR PARA MANIPULAR CALZONES DE VIEJA

PINZAS DE BARBACOA

PALO DE TRES METROS

R2-D2

Así que salí con un cubo y unas pinzas y empecé a recogerlos rápidamente y a meterlos en el cubo. Con un poco de suerte, lo conseguiría antes de que la Sra. Clawson se asomara a la ventana y pasaran mis vecinos. Ya había recogido la mitad cuando apareció Angelina a la vuelta de la esquina y unos mil participantes de su Andatrón. ¿Te acuerdas de que Angelina había mencionado otro Andatrón? Pues resulta que era hoy.

SORPRENDIDA RECOGIENDO CALZONES

Por supuesto, Angelina tuvo que detenerse a saludar y a echar un vistazo al jardín, las pinzas, el cubo y los calzones de vieja.

—¿Qué haces? —preguntó.

Diario Tonto, voy a ser sincera. No fue fácil admitir la verdad ante Angelina.

Así que no lo hice.

—La Sra. Clawson sufre de alergia crónica a las secadoras, así que todas las semanas, por caridad, lavo sus horribles calzones gigantes y los tiendo a secar en el jardín —dije, y en ese momento recogí delicadamente con las pinzas unos calzones y los deposité en el cubo con cuidado—. Es mucho trabajo y una ofensa a la vista, pero lo hago por caridad.

—¿Quieres que te ayude? —preguntó, intentando participar en mi obra de caridad. Ya sé que es mentira, pero es mía al fin y al cabo.

—No, está bien —dije, diciendo adiós con mis pinzas hasta que ella y los otros llegaron al final de la cuadra.

Entonces recogí los calzones de la Sra. Clawson y los tiré a la basura.

Casi me pillan, pero conseguí escapar. No más calzones de vieja para Stinker. Por lo menos hasta Navidad.

EL MEJOR REGALO DE NAVIDAD PARA STINKER

Lunes 16

Querido Diario Tonto:

Es increíble lo emocionada que está Isabella con su nueva obra de caridad. Le dije que pensaba que esa Federación Juvenil de Optometría nos iba a convertir en mejores personas y ella asintió. De hecho, asintió tanto que hasta se rió un poco.

Hizo un cartel que colocó en el pasillo de la escuela. Se supone que debemos pedir permiso para colgar carteles, pero Isabella dijo que los carteles para las obras de caridad están aprobados automáticamente.

Isabella dice que el gobierno permite colgar cualquier cartel que promueva la salud.

Por ejemplo

Isabella incluso hizo unas latas muy monas para que recolectáramos dinero. ¡Fue increíble! Hasta el subdirector donó unas monedas, seguramente porque le gustan mucho las gafas. Usa una de esas gafas superpotentes que parece que puede ver hasta las moléculas en la Luna.

Isabella piensa que con esas gafas a lo mejor tiene visión de Rayos X

Usa corbatas, pero aun así es buena persona

Isabella dice que ha conseguido casi 32 dólares y que pronto tendrá suficiente dinero para enviárselo a nuestra obra de caridad. Las dos nos sentimos mucho más bellas por dentro.

Pronto, nuestra belleza interna será tan inmensa que nos traspasará la piel, saliendo en forma de burbujas de belleza que rodarán por el suelo y que los bedeles tendrán que limpiar con su aserrín especial para vómitos. ¿No suena maravilloso?

A ver si la belleza de Angelina es capaz de igualarnos.

Querido Diario Tonto:

Angelina y Hudson me pusieron de un humor de perros hoy en educación física con sus cuchicheos estúpidos, así que me dediqué a organizar mi grupo para pensar cómo íbamos a hacer llegar nuestro bebé al otro lado del lago de los cocodrilos. ECECNNR (Ese Chico Espantoso Cuyo Nombre No Recuerdo) sugirió que pusiéramos el bebé en la olla y lo lanzáramos por el piso. Pero yo le dije que si la olla se volcaba o no llegaba al otro lado, el bebé se convertiría en comida de cocodrilo.

Le ha hecho creer al pobre que las bobadas son interesantes.

Pinsetti dijo que se podría cortar el bebé en trozos para tirarlos hasta el otro lado del gimnasio, ya que las normas decían que no se podía lanzar al bebé, pero no decían nada de lanzar trozos de bebé. Nos dimos cuenta que las múltiples lesiones de cabeza de Pinsetti no le han ayudado mucho.

Pero de alguna manera esto le dio a Isabella una idea, aunque se negó a compartirla con nosotros. Dijo que no quería que los otros la oyeran y nos la robaran. Dijo que sabía cómo hacerlo, pero que de momento lo tenía que guardar en secreto. Mejor, porque en ese momento oímos llegar los autobuses, lo que indica que el día en la escuela ya casi ha terminado.

PURAS LOCURAS

Ah, sí. Cuando estaba abriendo la puerta para salir del gimnasio, creo que golpeé a Pinsetti en la cara, pero ya debería estar acostumbrado. Este mes, está recibiendo más golpes en la cabeza que una piñata en una fiesta de niños golosos.

Miércoles 18

Querido Diario Tonto:

Hoy en la escuela anunciaron un Saltatrón para recolectar dinero. Es un maratón de saltar la soga y tienes que conseguir que alguien pague cada vez que saltas sin tropezar. El Saltatrón es dentro de una semana y el dinero que se recaude será para la escuela, lo que en mi opinión, es una buena obra de caridad. (A lo mejor pueden usar el dinero para comprar nuevas secretarias, ya que las que tenemos ahora están un poco arrugadas y manchadas).

Hudson nos preguntó si íbamos a participar. Por supuesto, Isabella y yo dijimos que sí, pero cuando Angelina pasó por ahí y Hudson le preguntó, ella se atragantó un poco antes de decir que sí.

Ese atragantamiento me hizo pensar que se le puede estar acabando la belleza interna. ¿Puede pasar eso? ¿Puedes agotar tu belleza interna? ¿Podrías retocarla engullendo cosméticos?

Jueves 19

Querido Diario Tonto:

Hoy Isabella nos explicó su solución al problema de la clase de educación física. Nos hizo acercarnos mucho para que la escucháramos. No iba a dejar que nadie nos robara la respuesta.

Cuando escuchamos su solución, sonreímos. Lo había conseguido y decidimos probarlo después de clase.

Como siempre, todo el mundo salió disparado del gimnasio cuando sonó la campana, lo que nos dio suficiente tiempo para intentar la solución de Isabella antes de mostrarla a la clase del Sr. Dover.

Isabella es tan lista como una maestra y un poco más mala

Pusimos la olla en la cabeza del bebé. Isabella nos explicó que la olla era una medida de precaución para proteger al bebé. Yo sujeté la cabeza de la serpiente y ECECNNR sujetó la cola. Isabella puso el bebé en medio de la serpiente y tiró hacia atrás como si fuera una honda. Isabella es una maestra de la puntería porque la mejor forma de atacar a sus hermanos es a distancia.

Soltó la serpiente y —*BANG*— el bebé salió volando por encima de los cocodrilos imaginarios y fue a caer justo en los brazos de Pinsetti, ¡sano y salvo!

Habíamos cumplido todas las normas. No habíamos lanzado al bebé. Lo habíamos disparado. Seguro que Dover nos daría una nota muy buena.

Y para sorpresa de todos, hoy no le pegué accidentalmente a Pinsetti en la cabeza, lo que fue un alivio para él.

Pero eso no duró mucho, porque cuando se puso la gorra, se levantó la costra por tercera vez.

Isabella lo consoló amablemente diciéndole que sus lesiones de cabeza eran nuestros amuletos de buena suerte, así que debería sentirse orgulloso. Además, le gritó delicadamente que dejara de llorar, lo que nos alivió a todos.

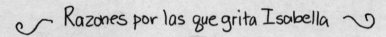

Razones por las que grita Isabella

para que dejes de llorar o gritar.

para decirte que está enojada (o feliz)

para susurrarte un secreto desde el otro lado del salón.

¡Oye, dejaste unos calzones en mi casa!

Viernes 20

Querido Diario Tonto:

La foto de Angelina volvió a salir en el periódico.

Y Hudson fue el que me la enseñó.

—¡Mira! Angelina ha vuelto a salir en el periódico. ¡Esta vez por donar ropa usada!

Angelina pasó al lado de Hudson y este empezó:

—Mira, Angelina. Sales en el periódico.

Angelina hizo que se ruborizaba.

—Las obras de caridad tarde o temprano acaban en la prensa. A veces, salen en las noticias meses más tarde. No sé por qué mi foto sale tantas veces.

Oh, umm. Déjame pensar un momento.
Umm. Ehhh. No tengo ni idea. Seguro que
no tiene nada que ver con tu inigualable belleza
exterior y tu más que inigualable belleza interior,
¿verdad? Umm. No, seguro que no. Ay, Angelina.
Qué misterio, ¿no?

No nos sorprende que los fotógrafos quieran disparar sus cámaras. Yo quisiera dispararle también.

¿Había acaso una foto de Isabella y mía recolectando dinero para nuestra obra de caridad, la Fundación Juvenil de Optometría? (¡Las donaciones ya superan los 35 dólares!) No. ¿Alguna foto mía intentando buscar patrocinadores para el Saltatrón del miércoles que viene? No. (Ya he conseguido TRES, muchas gracias. Papá no pudo participar. Dijo que había perdido la cartera en un rodeo. Espera un momento. No recuerdo ningún rodeo).

creo que la excusa de papá era caca de vaca.

Sábado 21

Querido Diario Tonto:

Hoy parecía un gran día para hacer una obra de caridad. Isabella dijo que sabía que pronto sería más bella. Les pedimos dinero para el Saltatrón a sus padres, tías, tíos, primos, vecinos, a todo el mundo. Y conseguimos que el número de patrocinadores subiera de tres al alucinante número de...

Siete.

Siete patrocinadores **ENTRE LAS DOS.** La mayoría de la gente dona un centavo por salto. Así que si Isabella y yo saltamos cien veces seguidas, a lo mejor conseguimos suficiente dinero como para comprar una caja de crayones. Pero no la caja de 64 crayones con sacapuntas, claro está. Solo la caja de 16, y ni siquiera de marca, sino de esos que te dan en los restaurantes.

Aunque te den crayones, nunca dibujes a la simpática camarera en tu mantelito de papel.

LA TONTA DE LA CAMARERA GORDA →

Porque derramará el café encima de tu papá, y eso quiere decir que te quedarás sin postre

Domingo 22

Querido Diario Tonto:

Isabella vino hoy a ayudarme a practicar el salto de soga. Pensamos que nuestra mejor estrategia sería intentar saltar más de cien veces. Yo soy hija única, lo que quiere decir que cuando era pequeña, no tenía otra cosa mejor que hacer que saltar a la soga sola en la rampa del garaje. Los niños que no tienen hermanos suelen desarrollar habilidades que requieren mucha práctica en solitario.

SKIPPY
SKIPPY
SKIP
SKIP
SKIPPY

Ya he intentado explicarte un millón de veces, D.T., que Isabella tiene hermanos mayores muy malos, así que la soga también fue imprescindible para ella. No solo se le da bien saltar, sino que además puede usarla al estilo kung fu. Cuando sus hermanos oyen el sonido de la soga golpeando el cemento, se les eriza el pelo del cuello.

No me extraña. La he visto hacer cosas de lo más malvadas.

Esta tarde practicamos muchísimo. Estábamos casi seguras de que podríamos saltar más de cien veces seguidas. A lo mejor, hasta podríamos comprar dos pares de esas tijeras romas, pequeñitas y sin filo que tienes que usar cuando alguien más le ha pedido prestadas las tijeras buenas a tu maestra. O a lo mejor le podríamos comprar a Margaret un paquete de cuarenta lápices o algo así.

Otras cosas que nuestra escuela debería comprar

Uniformes adorables para las bedeles

Un cachorrito que viva en cada casillero

ZAP

Fuentes que disparen rayos láser a los que escupen los chicles

Lunes 23

Querido Diario Tonto:

Hoy, le pregunté a Isabella si quería intentar conseguir más dinero para la Federación Juvenil de Optometría, y me miró como si nunca hubiera oído hablar de esa obra de caridad. ¿Ya se había olvidado?

Al cabo de unos minutos, consiguió recordarlo y dijo que ya había mandado el dinero y que tenían suficiente, así que ya no hacía falta que recaudáramos más.

Esta es la cara que pone Isabella cuando intenta recordar algo

¿Qué te parece? Hemos llenado las arcas de una obra de caridad. Por supuesto que tuvimos que ir a contárselo a Hudson, que estaba siendo la víctima de un almuerzo con Angelina.

—Hemos llenado las arcas de una obra de caridad hasta arriba —dije—. Hasta arriba del todo. Caridad **TOTAL Y ABSOLUTA**. Así es. Esos chicos ya tienen caridad para hartarse.

¿A QUE SOMOS BELLÍSIMAS? Esos pobres miopes seguramente se estarán ahogando en nuestro dinero. ¡YUP!

Pero Angelina no parecía herida por el **Gran Acto de Caridad Pura** con el que la acababa de golpear en la cara. Más bien parecía impresionada. Y Hudson también. ¿Es posible que mi belleza interior empezara a verse? No creo que se debiera al ganchito del pelo porque todavía no estoy muy segura de cómo funcionan sus poderes, y además no siempre me acuerdo de ponérmelo.

Divina
Linda
Un poco mona
Normal
Fea
Espantosa

BELLEZA

BELLEZA

¡Mi belleza interior va en ascenso!

Martes 24

Querido Diario Tonto:

¡Qué demonios! Ya estábamos listos para nuestra prueba final, lanzar a nuestro precioso bebé por los aires, cuando Dover dijo que teníamos que ayudar a preparar el gimnasio para el Saltatrón, que es mañana después de la escuela. Yo estaba muy enojada hasta que me di cuenta de que esto significaba que Anika, Comelápices, la Rubia y Hudson también tendrían que ayudar.

Trasero totalmente chato por estar sentada todo el día en el gimnasio.

Realmente no había mucho que hacer. Colgar unos carteles, colocar las mesas y las sillas para el jurado y abrir las puertas y ventanas para que saliera el olor a peste de los chicos.

Dover podía haber hecho todo esto sin ayuda, pero algunos profesores piensan que los chicos debemos hacer su trabajo físico, como si fuéramos animales de granja, salvo que es un poco más asqueroso en el caso de Margaret, que no perdió la oportunidad de morder uno de los lápices de la mesa del jurado.

No quiero decir que sigue comiendo muchos lápices, pero cuando se tira un pedo, te aseguro que casi puedes ver una nube de aserrín.

Miércoles 25

Querido Diario Tonto:

¡¡¡¡Hoy es el día del Saltatrón!!!!

El día en la escuela fue normal. O por lo menos así empezó. Pero entonces, como todo lo que empieza normal, se volvió anormal.

Después de la escuela, justo antes de ir al gimnasio, Isabella salió del cuarto de baño y se fue directo a la pared. Cuando se dio la vuelta, vi que ya no llevaba sus gafas. Cuando se acercó, vi que sus ojos se habían vuelto verdes. Verdes como una aceituna.

—¡Isabella! ¿Qué te ha pasado en los ojos? —dije.

—Me puse lentes de contacto —contestó—. Me las acabo de poner. ¿Me quedan bien?

—¿De dónde sacaste el dinero para las lentes de contacto? —pregunté, sabiendo que sus padres no lo habrían aprobado y que a Isabella le cuesta mucho ahorrar dinero.

—La Federación Juvenil de Optometría —dijo—. Además, tenía algo ahorrado.

Y se empezó a reír como una psicópata.

Los ojos extraños completaban muy bien el efecto de psicópata.

Me sentí enferma. Isabella había mentido sobre la obra de caridad. Y yo la había ayudado.

—¡Isabella! ¡Nuestra belleza interior! ¿Qué has hecho?

—Mira —dijo—, está en mis ojos, ¿ves? Y son bellos. **Tachán: Belleza Interior.** No tenía suficiente dinero para comprar las lentes de colores, así que las coloreé yo misma. Creo que usé demasiado marcador verde y a lo mejor se me ha estropeado la de la izquierda. Si te compras lentes de contacto, deberías quitártelas antes de colorearlas.

SOLO ISABELLA Y LOS MARCIANOS SON CAPACES DE HACER ALGO ASÍ

Eran prácticamente robadas, más o menos. Pero yo no podía hacer nada e Isabella lo sabía. Yo la había ayudado, así que si la delataba, me metería en tantos problemas como ella. Habíamos engañado al director, que es como engañar al presidente. Todo lo que podía hacer era llevarla al gimnasio. Estaba casi ciega.

Muchos chicos se presentaron al Saltatrón. Tardé un rato en ver a Angelina, lo que es raro, porque suele participar en estas cosas. El Sr. Dover y otros maestros eran el jurado, pero algunos llegaron tarde, así que el Sr. Dover nos preguntó a Isabella y a mí si podíamos ayudar a contar los saltos de los chicos, y luego podríamos saltar nosotras. Como éramos expertas en el salto de soga, dijimos que sí.

A medida que los participantes saltaban, anotábamos el número y les pasábamos la hoja a los otros jueces. Isabella contaba por el sonido de los saltos, por supuesto, porque su visión estaba nublada con las lentes de contacto.

Margaret y ECECNNR eran buenos saltadores. No cabía duda de que sus **Momentos-de-Soledad-para-Practicar** ayudaron y además, los mangos de la soga eran grandes y deliciosos pedazos de madera, y todos sabemos cuánto le gusta eso a Margaret. (Nunca la vi hacerlo, pero seguro que pegó algún bocado).

Después de un rato, llegamos a los últimos saltadores y Angelina salió del gimnasio. Tenía una mirada en la cara que nunca había visto antes.

Me llamó un poco aterrorizada. Me habría gustado que Isabella la hubiera visto, pero sus ojos empezaron a dar vueltas como si fuera un camaleón. (¿Envenenamiento de marcador?)

Cuando Angelina y yo estábamos a solas, ella... CONFESÓ. Estaba medio llorando cuando me dijo que casi no sabía saltar a la soga. ¿Ves? Ya te dije que saltar a la soga es una habilidad que se adquiere cuando pasas mucho tiempo solo. Angelina, al ser tan popular y estar tan ocupada, nunca había tenido tiempo para aprender.

¡Ja ja! Sabía que si vivía lo suficiente, descubriría el LADO MALO de la popularidad intensa. Nunca tienes tiempo "contigo mismo". Te siguen a todas partes. A lo mejor hasta en el baño.

Sí, ese fue un momento trágico para Angelina. Un maravilloso momento trágico. Su historia era tan triste que casi me entra un ataque de risa.

Pero el momento no duró mucho. Me enseñó su hoja de patrocinadores. Angelina tenía más de CIEN. Puede que no sepa saltar, pero es buenísima con las obras de caridad. Con cada salto, podría ganar unos 10 dólares o más para la escuela.

UN MONTÓN DE DINERO

¡Era maravilloso! Todo el dinero que se iba a desperdiciar porque no podía usar la dichosa soga. Ja, Angelina, ahí tienes tu belleza interior. Ya verás cuando todos se enteren de cómo no vas a poder ayudar a la escuela.

La escuela...

¡NOOO! ¡¡¡La escuela!!! ¿¡Por qué tuve que pensar en la escuela!?

Si dejaba que Angelina fracasara, sería un gran golpe para ella, su popularidad, su belleza interior, sus ganchitos de pelo y sus poderes malvados sobre Hudson.

Pero también sería un gran golpe para la escuela. Nadie había conseguido tantos patrocinadores. Yo había visto las hojas.

Sin ese dinero, la escuela podría sufrir grandes recortes de presupuesto

La orquesta podría quedar reducida a trompetillas

Dejarían de dar café gratis a los maestros

La cafetería pasaría de tener pastel de carne solo los jueves a todos los días de la semana ¡y nos harían venir a almorzar los fines de semana!

Miré a Angelina a los ojos y vi que estaba triste. Muy triste. No triste como cuando le pones un ganchito de pelo a un perro beagle y no se lo puede quitar, sino triste como cuando sabes que vas a decepcionar a todo el mundo. Y esto hizo que mi belleza interior empezara a rebosar y me quedara en medio de un charco de mi propia belleza. Había creado un monstruo, una bestia. Y esa bestia era yo. Era la verdadera **Bella en la Bestia** y la **Bestia en la Bella**.

Me acerqué al Sr. Dover y le pregunté si los saltadores tenían que sujetar la soga o si valía solo con saltar. Porque si tenían que sujetarla, no sería justo para los mancos. Dover miró las normas y dijo que solo tenían que saltar y que otra persona podía sujetar la soga.

Así es. En algún lugar hay un ser tan REPELENTE que escribió un libro sobre cómo saltar la soga.

Le dije a Isabella que quería que me ayudara a mover la soga para Angelina. La Rubia tenía más patrocinadores que nosotras y esto era lo que había que hacer por el bien de la escuela.

—De eso nada —dijo Isabella, y quería salir volando, pero dada su visión, acabó vagando sin rumbo.

Así que me acerqué mucho a su cara, puse una voz grave y seria como la suya y le dije:

—Isabella, o haces esto o le cuento a tus padres y a todo el mundo cómo has conseguido el dinero para tus lentes de contacto. Te castigarán hasta que termines la universidad.

¿Adónde se fue toda mi belleza interior?

No podía creer lo que le había dicho. Los ojos de Isabella se llenaron de lágrimas, pero no porque hubiera herido sus sentimientos. Tampoco era porque le molestaran las lentes de contacto. Era porque estaba emocionada.

¿Ves? Isabella es un monstruo del chantaje, que es una de esas habilidades espantosas que se ha visto forzada a aprender para enfrentarse a la crueldad de sus hermanos. Después de todos estos años, Isabella se dio cuenta de que yo finalmente había aprendido una habilidad suya. Estaba tan emocionada al ver mi **Maldad Interior**, que es como la **Belleza Interior** para ella, que se le saltaron las lágrimas.

—Está bien —dijo.

Angelina **SÍ** sabe saltar a la soga si no la tiene que sujetar. Y en realidad lo hace bastante bien. No tan bien como Isabella o como yo, pero saltó durante mucho tiempo y conseguimos un montón de dinero para la escuela. Seguramente iba a ser su mejor día, y su fama y belleza interior se elevarían a límites insospechados.

Yo estaba furiosa y encantada a la vez.

¿Por qué Angelina solo puede saltar así?

A lo mejor es porque está acostumbrada a jugar en grupo y necesita ambas manos para apartarse el pelo de la cara.

Jueves 26

Querido Diario Tonto:

Esta mañana cuando me desperté, me dolían los brazos muchísimo. Cuando mueves la soga para otra persona ejercitas todo el cuerpo y me sentía como si me hubiera pasado por encima una apisonadora. O un hipopótamo o un elefante.

¿Por qué me tienen que doler también las piernas si solamente usé los brazos? Los misterios del salto de soga.

Isabella quería que hoy, en la clase de educación física, le mostráramos a Dover nuestra solución al problema. Le dije que tenía un dolor de brazos que me estaba matando e intenté convencerla de que lo olvidara, pero ella estaba empeñada y ya sabes cómo se pone.

Esperamos hasta el final de la clase para poder repasar nuestra solución y asegurarnos de que todo saliera bien. Los autobuses ya estaban llegando, así que teníamos que actuar rápidamente.

Dover nos vio meter al bebé en la honda. Isabella empezó a tirar hacia atrás, pero le molestaban las lentes de contacto y le costaba trabajo apuntar. Yo sabía que estaba apuntando mal, pero me dolían tanto los brazos que no podía hacer nada y, cuando soltó al bebé, no fue exactamente en la dirección correcta.

Pinsetti probablemente lo podía haber atrapado, pero después de haber sufrido tantas lesiones en la cabeza durante un mes, estaba un poco despistado, así que se agachó y nuestro bebé, con la olla de metal en la cabeza, salió disparado por la ventana.

¡CRASH!

El bebé cayó y salió rodando por la colina que hay fuera del gimnasio, se salió de la acera y acabó debajo de la rueda de uno de los autobuses que llegaba en esos momentos. Miramos justo cuando el autobús le pasó por encima y lo dejó aplastado como un panqueque en mitad del asfalto.

Esto es lo peor que le puede pasar a un bebé

Creo que ni siquiera Dover sabía qué decir.
El bebé habría tenido más probabilidades de
sobrevivir con los cocodrilos. Dover solo pudo
alejarse moviendo la cabeza. Creo que habíamos
sacado un cero.

UN BEBÉ
ESPACHURRADO BAJO
UN AUTOBÚS TE
GARANTIZA UN
CERO EN CUALQUIER
CLASE.

No podía ni mirar a Hudson. Y sabía que Angelina se iba a partir de risa. No solo no habíamos salvado al bebé, sino que parecía que el bebé hubiera hecho algo que nos enojó. Pero Angelina no se estaba riendo. Me hacía una señal para que me acercara.

Por un segundo pensé que se quería reir de mí más de cerca.

Se acercó y me susurró: **"Sacrificio"**. Creo que antes no habría entendido lo que quiso decir. Pero ahora, como tengo tanta belleza interior, lo entendí perfectamente.

—Sr. Dover —dije—. No hemos terminado.

Rápidamente agarré los bebés de todos y se los di a Isabella, Pinsetti y ECECNNR. Entonces me fui al centro del gimnasio.

—Mientras los cocodrilos están ocupados comiéndome, el resto de mi equipo pondrá a salvo los bebés de todos y los llevarán al otro lado del gimnasio —dije en voz alta.

El Sr. Dover me miró estupefacto.

—Jamie, ¿vas a dejar que te coman los cocodrilos? ¿Eso no significa que tu plan ha fallado? —preguntó.

—Ya falló —dije—. Pero así les sale bien a los demás. Y una semana antes de la fecha. Lo que quiere decir que nos dará una semana libre, ¿no?

Dover sonrió. Incluso aplaudió un par de veces. Entonces le dijo a toda la clase:

—Tiene razón. La única solución al problema era que un miembro del grupo se sacrificara por el resto. Durante las Caídas en Confianza y los Perros de Trineos, una persona dependía del resto del grupo. En este ejercicio, el grupo depende de una sola persona. ¡Lo averiguaste, Jamie! ¡Tienes un 10!

Después de clase, Hudson y yo hablamos y nos reímos todo el camino hasta nuestros casilleros. Angelina pasó al lado y dijo hola. Hudson ni siquiera la miró. Supongo que su belleza interior no se puede igualar a la mía.

No sé por qué no me dio por tener belleza interior antes. Es mucho más fácil que la ciencia de los ganchitos de pelo.

Y mira, ahora Angelina es una especie de niña roedor invisible →

Viernes 17

Querido Diario Tonto:

Nunca jamás hagas nada. Esa es mi nueva filosofía.

Esta mañana me sentía bastante bien con mi nueva belleza interior. E Isabella se sentía muy bien con sus nuevas lentes de contacto. Le estaba hablando a Margaret de ellas, pero yo sabía que Isabella creía que estaba hablando conmigo. Creo que le debo decir a Isabella que vaya al médico para que se las arreglen.

CÓMO VE ISABELLA AHORA

YO   MARGARET   TRASERO DE STINKER

Hoy, Angelina estaba frente a su casillero y justo encima había un cartel de la escuela que decía: ¡ENHORABUENA, ANGELINA! ¡CONSEGUISTE RECAUDAR 600 DÓLARES EN EL SALTATRÓN! ¡NUEVO RÉCORD DEL ESTADO! Pero Angelina no estaba tan radiante como suele estar cuando consigue ser más famosa. De hecho, parecía algo triste.

EL BRILLO NORMAL DE LA PERFECCIÓN

EMPAPADA EN SALSA DE TRISTEZA

¿Qué ocurre? ¿Por qué me siento así? ¿Es este el efecto secundario de la belleza? ¿El tener que pensar en lo que sienten los demás? Bueno, pues el caso es que Hudson vino y empezó a hablar, y yo podía ver los horribles, enormes y preciosos ojos azules de Angelina que brillaban como los ojos de un cachorrito rubio al que le han puesto un torniquete en la cabeza. (¿Por qué pensaré estas cosas?)

Hudson estaba ahí, prácticamente cubierto hasta la cintura de mi inmensa belleza interior.

Pero entonces, algo bondadoso salió arrastrándose de mi garganta y se asomó desde mi boca diciendo:

—¿Sabes qué, Hudson? Ayer, Angelina fue la que me ayudó a resolver el rompecabezas de los bebés y los cocodrilos. Nunca se me hubiera ocurrido lo del sacrificio si no hubiera sido por ella.

Entonces Hudson le sonrió a Angelina. ¿Quién puede culparlo? La vieja belleza interior y la belleza exterior formaban una imagen preciosa.

Miré el cartel del Saltatrón de Angelina y luego la miré a ella a los ojos. Intenté decirle con los ojos que "lo justo es lo justo" y supongo que lo captó porque le dijo a Hudson:

—Bueno, como estamos siendo sinceros, diré que Jamie me ayudó con el Saltatrón. Sin ella no hubiera conseguido ni un dólar.

¿No debería haber una ley que regule la longitud de las pestañas?

MAR DE BELLEZA PURA

Entonces Hudson me volvió a mirar. Deberían obligarme a llevar un socorrista en la cabeza, porque ahora él estaba ahogándose en mi belleza interna. De verdad, yo tenía un aspecto estupendo. Hasta Angelina sabía que no podía hacer nada en ese momento. Y eso que ni siquiera llevaba el ganchito de pelo.

¿Quieres saber por qué **SABÍA** que ella lo sabía? Porque lo siguiente que hizo fue sacar un periódico de hoy.

MAR DE BELLEZA PURA

—Hay una foto de Jamie en el periódico, —le dijo a Hudson.

Y era verdad. La foto era del Andatrón. No del primero, cuando Angelina pasó por delante de nuestra venta de garaje. Sino del segundo, cuando me vio con los calzones de la Sra. Clawson. ¿Recuerdas que te comenté que todas las obras de caridad de Angelina acaban en el periódico?

Así es la foto, Angelina con una sonrisa millonaria y yo recogiendo los calzones con las pinzas.

En el pie de foto decía algo como: "Una famosa participante se detiene durante el Andatrón para observar a una niña jugando con la ropa interior de una señora mayor".

Hudson lo leyó y luego me miró como si me hubiera comido los calzones. Intenté decir algo. Pero en un momento así no te salen las palabras. Porque estaba claro que la de la foto era yo y, aunque no estaba jugando, hacía algo mucho peor. **Mi belleza interior estaba siendo rápidamente reemplazada por mi rareza interior.**

Angelina y Hudson se alejaron riendo y hablando. Angelina miró hacia atrás, por encima del hombro, y parecía que me quería transmitir un mensaje, algo así como: "Mira, yo no tengo la culpa si un fotógrafo pasó y te hizo una foto recolectando calzones en el jardín a plena luz del día".

Tiene razón. Supongo que no es su culpa. No lo es. Pero en realidad tampoco fue mi culpa. Así que debería haber alguien a quien poder culpar, ¿no? Pero no solo ahora, siempre. Debería haber alguien cuyo trabajo fuera tener la culpa.

Deberíamos poder culpar a alguien por:

las picaduras de mosquito que no te puedes rascar

la gelatina con trocitos de apio

No dejarnos tener koalas como mascotas, porque esas cositas son realmente adorables

Sábado 28

Querido Diario Tonto:

Fui con Isabella y su papá a que le arreglaran las lentes de contacto. Le dijo a su papá que había ahorrado todo el dinero y él le dijo que en cualquier caso se las iba a regalar por su cumpleaños.

En la oficina del oftalmólogo tienen una cajita para donaciones para una fundación que realmente proporciona gafas a los niños necesitados. Yo puse 30 dólares para compensar por el dinero que Isabella y yo habíamos recolectado para su obra de caridad imaginaria.

Tenía que hacerlo. Aunque no arreglaba el hecho de que Isabella mintiera, sabía que era lo que había que hacer.

Isabella se compró unas lentes de contacto nuevas, pero dijo que le molestaban más que las otras y, cuando llegamos a su casa, me dijo que volvería a usar sus gafas. Creo que esto tenía algo que ver con las fotos que había en la oficina del oftalmólogo de unas modelos estupendas con gafas.

Ahora Isabella piensa que las gafas la hacen ver como una SUPERMODELO

Con la venta de garaje había conseguido 45 dólares, pero después de la visita al oftalmólogo me quedaban solo 15, lo que no está mal por un montón de basura vieja.

Hasta que llamó la Sra. Clawson. Ella también había visto la foto en el periódico y dijo que si yo me iba a dedicar a jugar con sus calzones, quería que se los devolviera. Como me había desecho de ellos, mamá me confiscó los 15 dólares para comprarle otros.

rabia de calzones

Y lo que es peor, me hizo ir con ella a comprarlos. Me sentí mal por los calzones enormes de la Sra. Clawson, así que le di a mamá 10 dólares más de mi alcancía para que le comprara unos mejores. Le sugerí una tanga, pero entonces se me retorcieron las tripas un poco y dije que mejor algo con flores. Bastante caritativo de mi parte, ¿no? A lo mejor sí tengo belleza interior después de todo.

Un secreto que nunca debe ser revelado

La Sra. Clawson en tanga es tan espantosa que ni siquiera la puedo poner en mi diario.

Cuando llegamos a casa, había un sobre enorme en la puerta dirigido a mí. Era de Angelina. Dentro tenía la camiseta del pato con la enorme mancha de chocolate y una nota que decía:

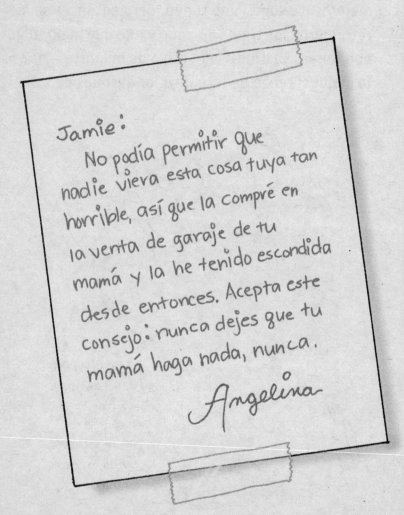

Jamie:
No podía permitir que nadie viera esta cosa tuya tan horrible, así que la compré en la venta de garaje de tu mamá y la he tenido escondida desde entonces. Acepta este consejo: nunca dejes que tu mamá haga nada, nunca.

Angelina

Parece ser que Angelina compró esta porquería en nuestra venta de garaje y la escondió de los otros Andatrones, algo muy caritativo.

Lo que debes admitir es que es muy caritativo por mi parte admitirlo.

A lo mejor todos tenemos belleza interior.

¿Será posible? ¿Hasta las comedoras de lápices y los Mike Pinsettis y Ese Chico Espantoso Cuyo Nombre No Recuerdo? ¿Hasta las chicas que inventan obras de caridad y los perros beagle que comen calzones y las mamás que sacan tus vergüenzas para que las vea toda la ciudad?

¿Y hasta las chicas que tienen un montón de belleza externa?

A lo mejor sí. A lo mejor todos tenemos. A veces piensas que necesitas un gancho de pelo o lentes de colores para brillar, pero, al igual que un eructo enorme de pastel de carne cuando estás haciendo ejercicio, la Belleza suele salir cuando menos te lo imaginas.

Gracias por escuchar,
Diario Tonto.

Jamie Kelly

No te pierdas el próximo libro de Querido Diario Tonto:

¿PUEDEN LOS ADULTOS CONVERTIRSE EN HUMANOS?

Jamie va escuela.

Escuela llena salvajes.

Salvajes maldad a Jamie.

Jamie enseña hipo morder Angelina.

Hipo bonito.

Acerca de Jim Benton

Jim Benton no es una chica de la escuela secundaria, pero no lo culpes por ello. Al menos, ha logrado ganarse la vida siendo divertido.

Es el creador de muchos productos con licencia, algunos para niños grandes, otros para niños pequeños y otros para algunos adultos que, francamente, se comportan como niños pequeños.

A lo mejor ya conoces sus creaciones, como It's Happy Bunny™ o Just Jimmy™, y estás a punto de conocer el Querido Diario Tonto.

Jim ha creado series de televisión para niños, ha diseñado ropa y ha escrito libros.

Vive en Michigan con su esposa y sus hijos espectaculares. En la casa no tienen perro ni mucho menos uno vengativo. Esta es su primera serie para Scholastic.

Jamie Kelly no sabe que Jim Benton, tú o cualquier otra persona ha leído sus diarios.